Download Your Fre

Download your bonus free MP3 audiobook read in English by the author at:

badgerlearning.co.uk/free-audio-downloads

Password: **ADAaudio**

Each book includes a school site license for the related download. This means you can share the files with your colleagues & students within your school only. **Please do not share elsewhere.** You are permitted to share these files with students who are home learning, however the files must not be hosted on a publicly accessible site. Unfortunately we are unable to assist with compatibility queries, please check that your intended devices and/or systems can open MP3s before downloading.

Badger Publishing Limited
Oldmedow Road,
Hardwick Industrial Estate,
King's Lynn PE30 4JJ
Telephone: 01553 816 083
www.badgerlearning.co.uk

2 4 6 8 10 9 7 5 3 1

Special FX ISBN 978-1-78837-807-9

Editor: Claire Morgan
Translation: Yana Surkova
Design: Adam Wilmott
Illustration: Anthony Williams
Cover design: Adam Wilmott

Special FX
Спецефекти

Contents

Зміст

Vocabulary and useful phrases

special fx = also known as special effects, these are visual tricks used for film and TV

axe = cancel

chop shop = car garage that often operates illegally

Earth-mail = intergalactic video-call

stunning audition = a joke referring to the fact that the alien was stunned by Wanda's laser during the audition (would otherwise mean 'good')

made a big splash = made a big impact/impression — also a joke because Zzp is made of water

snooping = looking around somewhere you shouldn't

all tied up = this usually means busy, but in this case, Wanda is actually tied up!

hair today, gone tomorrow = links to a phrase that means 'only around for a short time' — but in this case, the phrase uses 'hair' instead of 'here' because of the use of hairdryers

cloud your thinking = to make it difficult to understand something — but in this case, Zzp has become an actual cloud because the hairdryers have evaporated him!

bit of a drip = an insult meaning that someone is boring — but also links to the fact that Zzp is made of water

Лексика та корисні фрази

special fx = відомі як спецефекти, це візуальні трюки, які використовуються в кіно і на телебаченні

axe = скасування

chop shop = автомобільний гараж, який часто працює нелегально

Earth-mail = міжгалактичний відеодзвінок

stunning audition = жарт, стосовно того факту, що прибулець був приголомшений лазером Ванди під час прослуховування (в іншому контексті означає "добре")

made a big splash = справити великий вплив/враження - також жарт, оскільки Ззп зроблений з води

snooping = дивитись туди, куди не слід

all tied up = зазвичай означає зайнятий, але в даному випадку Ванда дійсно зв'язана!

hair today, gone tomorrow = посилання на фразу, що означає "лише на короткий час" - але в даному випадку у фразі використовується "волосся" замість "тут" через використання фена

cloud your thinking = ускладнювати розуміння чогось - але в даному випадку Ззп перетворився на справжню хмару, бо фени його випарували!

bit of a drip = образа, яка означає, що хтось нудний - але також посилається на те, що Ззп зроблений з води

Book introduction

Jack is an actor who plays an alien detective on a TV show called Sci-Fi Spy Guy.

Wanda is the Galactic Union's Alien Welfare Officer for Earth (an ACTUAL alien detective).

Together, Jack and Wanda are a team called the **Alien Detective Agency**.

STEALTH is the name of Jack's time travelling starship, which stand for **S**pace **T**ripping **E**xtra **A**tomic **L**aser **T**ime **H**opper. It can think and talk for itself, but only Jack and Wanda know this.

In this adventure, Jack and Wanda try to save Jack's TV show by hiring alien actors (but no one else knows they are real aliens).

Вступ до книги

Джек - актор, який грає інопланетного детектива в телевізійному шоу під назвою "Науково-фантастичний шпигун".

Ванда - офіцер Галактичного союзу з питань добробуту інопланетян на Землі (СПРАВЖНІЙ інопланетний детектив).

Разом Джек і Ванда - це команда під назвою **«Інопланетне детективне агентство»**.

СТЕЛС - це назва мандрівного в часі космічного корабля Джека, що означає «Космічний мегаатомний лазерний стрибун у часі». Він може думати і говорити, але про це знають тільки Джек і Ванда.

У цій пригоді Джек і Ванда намагаються врятувати телешоу Джека, наймаючи акторів-прибульців (але ніхто не знає, що вони є справжніми прибульцями).

Chapter 1
The show must go on

"They can't do this to me!" yelled Jack.

Wanda looked up from the 3D map she was studying of a moon called Callisto.

"What's up?" she said.

"They're going to axe 'Sci Fi Spy Guy'!" he roared. "It's the most famous TV programme in the universe. I'm the star of the show!"

Wanda rolled her eyes.

"So? You're an actor. You'll get another job."

Jack looked hurt. "Are you kidding? If they axe the show they'll take STEALTH, too."

That was serious. STEALTH, the Space Tripping Extra Atomic Laser Time Hopper, was Jack's spaceship. Wanda used it as well because her rocket ship was still in pieces in a chop shop on Mars.

Розділ 1
Шоу має продовжуватися

"Вони не можуть так зі мною вчинити!" - закричав Джек.

Ванда підняла очі від 3D-карти супутника Каллісто, яку вона вивчала.

"Що сталося?" - запитала вона.

"Вони збираються закрити шоу "Науково-фантастичний шпигун"!" - заревів він. "Це найвідоміша телепрограма у всесвіті. Я зірка шоу!"

Ванда закотила очі.

"І що? Ти ж актор. Знайдеш іншу роботу".

Джек виглядав ображеним. "Ти знущаєшся? Якщо вони закриють шоу, то заберуть і СТЕЛС".

Це було серйозно. СТЕЛС - Космічний мегаатомний лазерний стрибун у часі - був космічним кораблем Джека. Ванда також користувалася ним, тому що її ракетний корабель все ще був розібраним на шматки в майстерні на Марсі.

"Why would the TV people take STEALTH?" she asked, looking worried.

"Because they don't know it's real," said Jack. "They think it's just a fake used on my TV show."

"We can't let that happen," said Wanda. "We need that spaceship for our Alien Detective Agency."

"I know," said Jack. Then he smiled. "But don't worry — I've got an idea!"

Now Wanda was really worried.

"Навіщо телевізійникам забирати СТЕЛС?" – стурбовано запитала вона.

"Тому що вони не знають, що він реальний", - відповів Джек. "Вони думають, що це просто підробка, яку використовують у моєму телешоу".

"Ми не можемо цього допустити", - сказала Ванда. "Нам потрібен цей космічний корабель для нашого "Інопланетного детективного агентства"".

"Я знаю", - сказав Джек. Потім він посміхнувся. "Але не хвилюйся - у мене є ідея!"

Тепер Ванда по-справжньому занепокоїлася.

Chapter 2
Auditions

"Are you mad?" gasped Wanda. "That is the worst idea I've ever heard!"

"It's brilliant!" said Jack, grinning.

"We'll get some real aliens on my TV show. We won't even need special fx! They'll look great and save money."

"First," said Wanda, "it's too dangerous. And second, my job is to stop people on Earth finding out that aliens are real."

"No-one will know they're real," said Jack. "All you have to do is pretend you're in charge of the special fx."

Wanda groaned. "How do you talk me into this stuff?"

"I've often wondered, Wanda," laughed Jack.

Wanda sent out Earth-mails to the aliens. Auditions were at the TV studio.

"I am Inx," said the first alien.

"Hi!" said Jack.

Inx looked like a giant balloon and went whizzing around the film studio.

"Great costume!" said the director. "Fab special fx. Er... are you supposed to smoke like that?"

Розділ 2
Прослуховування

"Ти збожеволів?" - задихалася Ванда. "Це найгірша ідея, яку я коли-небудь чула!"

"Це геніально!" - сказав Джек, посміхаючись.

"У моєму телешоу ми побачимо справжніх іноплонетян. Нам навіть не знадобляться спецефекти! Вони чудово виглядатимуть і заощадять нам гроші".

"По-перше, - сказала Ванда, - це занадто небезпечно. А по-друге, моя робота полягає в тому, щоб люди на Землі не дізналися, що іноплонетяни існують".

"Ніхто не дізнається, що вони існують", - сказав Джек. "Все, що тобі потрібно робити, це вдавати, що ти відповідаєш за спецефекти".

Ванда застогнала. "Як ти вмовив мене на все це?"

"Я часто задавався цим питанням, Вандо", - засміявся Джек.

Ванда розіслала іноплонетянам листи з Землі. Прослуховування проходили в телестудії.

"Я Інкс", - сказав перший прибулець.

"Привіт!" - сказав Джек.

Інкс був схожий на гігантську повітряну кулю і зі свистом літав кіностудією.

"Відмінний костюм!" - сказав режисер. "Приголомшливі спецефекти. Е-е... тобі можна так палити?"

"Oh no!" hissed Wanda. "The studio lights are making him too hot."

"Uh-oh!" said Jack. "Too late."

Inx popped and there was a faint smell of gas.

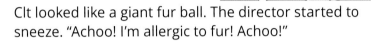

"Next!" said Wanda.

Clt looked like a giant fur ball. The director started to sneeze. "Achoo! I'm allergic to fur! Achoo!"

Then Clt saw Wanda's pet lunar mouse and tried to eat it. Wanda had to blast Clt with her laser.

"Stunning audition!" laughed Jack.

"Next!" said Wanda.

Shnt was the ugliest alien Jack had ever seen. It was hard to tell which way was up. She rolled along, with her tentacles making a sucking sound.

Then Shnt started to sing. What a lovely voice!

Until she sang such a high note that the TV camera shattered.

"Next!" said Wanda.

Then came Zzp. A three-metre-high Water Lord from the planet Neptune. Instead of walking, he flowed into the TV studio.

"Wow!" said the director. "You're hired!"

"О ні!" - прошипіла Ванда. "Студійне світло робить його занадто гарячим".

"Ой-ой!" сказав Джек. "Занадто пізно".

Інкс вибухнув, і з'явився слабкий запах газу.

"Наступний!" - сказала Ванда.

Кльт був схожий на гігантську хутряну кулю. Режисер почав чхати. "Ачхуу! У мене алергія на хутро! Ачхуу!"

Потім Кльт побачив домашню місячну мишу Ванди і спробував її з'їсти. Ванді довелося вистрілити в нього лазером.

"Приголомшливе прослуховування!" - засміявся Джек.

"Наступний!" - сказала Ванда.

Шнт була найпотворнішим інопланетянином, якого Джек коли-небудь бачив. Важко було сказати, в який бік вона піднялася. Вона котилася, а її щупальця видавали звук, схожий на смоктання.

Потім Шнт почала співати. Який чудовий голос!

Поки вона не взяла настільки високу ноту, що телекамера розлетілася вщент.

"Наступний!" - сказала Ванда.

Потім з'явився Ззп. Триметровий Володар води з планети Нептун. Замість того, щоб зайти, він влився в телестудію.

"Вау!" - сказав режисер. "Тебе прийнято на роботу!"

Chapter 3
Special FX

Wanda was worried. Zzp was up to something. Why did a Water Lord want to be on TV? They didn't even have TVs on Neptune.

"Don't worry, Wanda," said Jack. "The TV people love him — this will save my show."

Jack was right. Zzp made a big splash. The problem was — he knew it.

Zzp demanded a bigger room than Jack's, with a large fish tank (to entertain his friends) and a paddling pool (to relax in).

The director was puzzled. "That guy never takes off his costume!" he said. "And I still haven't worked out how you do those really special fx. That costume really looks like he's made of water."

"Trade secret," said Wanda firmly.

Розділ 3
Спецефекти

Ванда хвилювалася. Ззп щось задумав. Навіщо Володар води захотів потрапити на телебачення? На Нептуні навіть не було телевізорів.

"Не хвилюйся, Вандо", - сказав Джек. "Телевізійникам він сподобався - це врятує моє шоу".

Джек мав рацію. Ззп справив великий фурор. Проблема була в тому, що він це знав.

Ззп зажадав більшу кімнату, ніж у Джека, з великим акваріумом (щоб розважати своїх друзів) і басейном (для відпочинку).

Режисер був спантеличений. "Цей хлопець ніколи не знімає свого костюма!" - сказав він. "І я досі не зрозумів, як ви робите такі особливі спецефекти. Цей костюм справді виглядає так, ніби він зроблений з води".

"Комерційна таємниця", - твердо сказала Ванда.

Zzp had to pretend to be an evil alien from the planet Gothos. Wanda didn't think he had to act much.

Zzp had to have a fight scene with Jack. Then Jack would save the world. But Zzp would not do as he was told.

It was hard for Jack to fight water. Everyone laughed. Except Jack.

Wanda was in Zzp's room doing some detecting.

"Hmm," she said. "I wonder what this machine does?"

She picked up a small box. It glowed when she touched it.

"Oh no!" she said.

Then the door opened.

"Snooping again, Darkstar?" said Zzp in a cold voice. "You really shouldn't."

Ззп довелося прикинутися злим прибульцем з планети Готос. Ванда не думала, що йому доведеться багато грати.

Ззп повинен був зіграти сцену бійки з Джеком. А після цього Джек врятував би світ. Але Ззп не хотів робити так, як йому було сказано.

Джеку було важко боротися з водою. Всі сміялися. Крім Джека.

Ванда була в кімнаті Ззп і проводила розслідування.

"Хм," - сказала вона. "Цікаво, що робить ця машина?"

Вона взяла маленьку коробочку. Вона засвітилася, коли та доторкнулася її.

"О ні!" - сказала вона.

Потім двері відчинилися.

"Знову шпигуєш, Даркстар?" - сказав Ззп холодним голосом. "Не варто".

Chapter 4
All tied up

"Cut!" shouted the director. "Well done, everyone. We've finished filming for today. Don't forget that we've got a class of children visiting from the local school. They'll want autographs from the stars. Zzp, Jack — big smiles!"

Jack frowned. He didn't like the way Zzp looked at him — and he didn't like Zzp being called a 'star'. And why wasn't Wanda keeping an eye on him?

"Have you seen Wanda?" Jack asked.

But no one had seen her.

"Perhaps she got all tied up," said Zzp.

Jack looked at him hard. But then the children arrived. They crowded round Jack, all wanting his autograph.

"Meet our new alien!" said the director. "This is Zzp. He's the new star of the show."

All the children went to meet Zzp. Jack was cross.

Розділ 4
Зв'язана

"Знято!" - крикнув режисер. "Всі молодці. На сьогодні зйомки закінчені. Не забувайте, що до нас приїхав клас дітей з місцевої школи. Вони захочуть взяти автографи у зірок. Ззп, Джеку, посміхайтеся ширше!"

Джек насупився. Йому не подобалося, як Ззп дивиться на нього - і йому не подобалося, що Ззп називають "зіркою". І чому Ванда не стежить за ним?

"Ти не бачив Ванду?" - запитав Джек.

Але її ніхто не бачив.

"Мабуть, вона повністю зв'язана", - сказав Ззп.

Джек пильно подивився на нього. Але тут з'явилися діти. Вони обступили Джека, всі хотіли отримати його автограф.

"Зустрічайте нашого нового прибульця!" - сказав директор. "Це Ззп. Він нова зірка нашого шоу".

Всі діти пішли зустрічати Ззп. Джек розсердився.

He decided to look for Wanda.

She wasn't in the film studio.

She wasn't in Jack's room.

She wasn't in the canteen.

And she wasn't outside taking her pet lunar mouse for a walk.

Jack decided to look in Zzp's room.

She wasn't there either. Then he heard a noise.

"Grgrg!" said a voice.

"Wanda, where are you?" said Jack.

"Grgrg!" said the voice again.

Jack opened the wardrobe. Inside was Zzp's best shirt — and Wanda tied up in the back.

"Quick!" she said. "Zzp is going to kidnap all the children!"

Він вирішив розшукати Ванду.

Її не було в кіностудії.

Її не було в кімнаті Джека.

Її не було в їдальні.

І її не було на вулиці, де вона гуляла зі своєю улюбленою місячною мишею.

Джек вирішив зазирнути до кімнати Ззп.

Там її теж не було. Тоді він почув шум.

"Гргрг!" - сказав голос.

"Вандо, де ти?" - запитав Джек.

"Гргрг!" - повторив голос.

Джек відкрив шафу. Всередині була найкраща сорочка Ззп - і Ванда, зв'язана ззаду.

"Швидше!" - сказала вона. " Ззп збирається викрасти всіх дітей!"

Chapter 5
Planet pets

"What do you mean?" asked Jack.

"I found this when I was searching Zzp's room," said Wanda. "Explains everything."

She held up a card:

ZZP ZPP

CHIEF BUYER

EXOTIC PETS UNLIMITED

(NEPTUNE BRANCH)

"I don't get it," said Jack.

Розділ 5
Планетні домашні тварини

"Що ти маєш на увазі?" - запитав Джек.

"Я знайшла це, коли обшукувала кімнату Ззп", - сказала Ванда. "Це все пояснює".

Вона підняла картку:

ЗЗП ЗПП

ГОЛОВНИЙ ПОКУПЕЦЬ

ЕКЗОТИЧНІ ТВАРИНИ БЕЗ ОБМЕЖЕНЬ

(ФІЛІЯ НЕПТУНА)

"Я не розумію", - сказав Джек.

"Zzp is going to kidnap the kids," said Wanda, "then sell them as pets on Neptune!"

Jack shook his head. "That's not possible. He hasn't got a spaceship."

"No, but Zzp just happens to be in a film studio with STEALTH — a real spaceship," said Wanda.

"I'm going to stop him!" said Jack.

"Zzp has an ice machine," said Wanda.

"He'll freeze the children for the journey. If you go near him, he'll freeze you, too."

Jack started to smile.

"What's so funny?" asked Wanda.

"I've just had a brilliant idea!" said Jack.

"Ззп збирається викрасти дітей, - сказала Ванда, - а потім продати їх як домашніх тварин на Нептуні!"

Джек похитав головою. "Це неможливо. У нього немає космічного корабля".

"Ні, але так сталося, що Ззп опинився в кіностудії зі СТЕЛС - справжнім космічним кораблем", - сказала Ванда.

"Я зупиню його!" - сказав Джек.

"Ззп має льодогенератор", - сказала Ванда.

"Він заморозить дітей на час подорожі. Якщо ти підійдеш до нього, він заморозить і тебе".

Джек почав посміхатися.

"Що тут смішного?" - запитала Ванда.

"Мені щойно спала на думку геніальна ідея!" - відповів Джек.

Chapter 6
Hair today, gone tomorrow

Zzp was alone in the film studio with the kids — and he'd already frozen them.

He was about to load them onto STEALTH.

Jack hoped his plan was going to work.

He set off the fire alarm. A loud clanging noise rang through the building.

Zzp looked up and laughed. "You can't stop me now, Jack Swift! Maybe you can just act surprised!"

Then Zzp saw Jack's weapon. "A hairdryer? What are you going to do with that?"

"I thought I'd blow you away," said Jack.

He set his hairdryer to the top setting.

Zzp laughed out loud. "Hahahaha"

Розділ 6
Сьогодні є, завтра немає

Ззп з дітьми знаходилися в кіностудії - і він їх уже заморозив.

Він збирався завантажити їх на СТЕЛС.

Джек сподівався, що його план спрацює.

Він увімкнув пожежну сигналізацію. Гучний стукіт пролунав будівлею.

Ззп підняв голову і розсміявся. "Тепер ти не зможеш зупинити мене, Джек Свіфт! Можеш просто прикинутися здивованим!"

Потім Ззп побачив зброю Джека. "Фен? Що ти збираєшся з ним робити?"

"Я збираюся здути тебе", - відповів Джек.

Він увімкнув фен на максимальну потужність.

Ззп голосно засміявся. "Ха-ха-ха"

Then from behind him he felt the air of another hot hairdryer. Wanda was standing there with a hairdryer in each hand — and a determined look on her face.

"You can't kill me with that!" snarled Zzp.

"Well," said Wanda, "it might cloud your thinking a bit."

Zzp looked puzzled. Then he realised what they were doing. Zzp was made of water — and the hot air was drying him out!

"Noooo!" he yelled.

But it was all too late. All that was left was a small, angry cloud.

Wanda and Jack blew Zzp out of the door.

The children started to unfreeze.

Потім позаду він відчув повітря іншого гарячого фена. Там стояла Ванда з феном в кожній руці - і з рішучим виразом обличчя.

"Ви мене цим не вб'єте!" - гаркнув Ззп.

"Ну, - сказала Ванда, - це може трохи затьмарити твоє мислення".

Ззп виглядав спантеличено. Потім він зрозумів, що вони роблять. Ззп був зроблений з води - і гаряче повітря висушувало його!

"Ніііі!" - закричав він.

Але було вже занадто пізно. Від нього залишилася лише маленька сердита хмаринка.

Ванда і Джек видули Ззп за двері.

Діти почали розморожуватися.

Wanda and Jack gave them blankets to warm them up.

"I like you better than the new monster alien," said one little boy.

"Yeah," said Jack, "I always thought Zzp was a bit of a drip."

Ванда і Джек дали їм ковдри, щоб вони зігрілися.

"Ти мені подобаєшся більше, ніж новий прибулець-монстр", - сказав один хлопчик.

"Так, - відповів Джек, - я завжди думав, що Ззп трохи зануда".